Tübingen
JUNGE ALTE NECKARSTADT

TÜBINGEN

# Tübingen

## JUNGE ALTE NECKARSTADT

Fotos von **Manfred Grohe**
Texte von **Wilfried Setzler**

**Silberburg-Verlag**

SILBERBURG

Wer Tübingen besucht und beschaut, begegnet einer lebendigen, jungen und jugendlichen Universitätsstadt von hoher Qualität, die von der heutigen, modernen Zeit geprägt ist. Junge Menschen, Studierende zumeist, bestimmen das Stadtbild. Über 20 000 sind an der Universität immatrikuliert. Bei 86 000 Einwohnern ergibt sich daraus die höchste »Studentendichte« einer deutschen Universitätsstadt.

Ihren Charme, ihre Attraktivität und Anziehungskraft gewinnt die Stadt aber auch, vielleicht gar vor allem, aus ihrem Umgang mit dem urbanen Erbe, der städtischen Geschichte und den kulturellen Zeugnissen der Vergangenheit. Eine mittelalterlich anmutende, bezaubernde Altstadt, stilvolle Universitätsviertel aus dem 19. Jahrhundert und moderne, in den letzten Jahrzehnten entstandene Stadtquartiere – wie das viel bestaunte Französische Viertel oder das Loretto-Areal – bestimmen das äußere Bild, führen dem Besucher die Entwicklung der Stadt anschaulich und eindrucksvoll vor Augen.

Manchen gilt Tübingen wegen seiner idyllischen Altstadt oder wegen der mit dem Ort verbundenen Dichter als romantisch. Anderen ist diese Stadt, in der Kepler, Hegel und Schelling ihr geistiges Rüstzeug erhielten, in der Silcher seine Lieder komponierte, in der Hölderlin lebte, Papst Benedikt XVI. als Hochschullehrer wirkte und Hans Küng der Stiftung Weltethos vorsteht, ein Widerborst voll Spannung und voller Gegensätze. In Tübingen, behaupten manche gar, sei alles anders als anderswo.

Sicher ist: Hier gilt das »Sowohl-als-auch«. Tübingen ist eine junge alte, eine kleine große Stadt, bestimmt von Provinzialität und Universalität, ist noch immer Obere und Untere Stadt, Provinz und Weltstadt, Universitätsdorf und Neckar-Athen: eng und weltoffen, weit und überschaubar. Tübingen ist, wie Mörike formulierte, »das Land, das ferne leuchtet« und, nach Isolde Kurz, ein »Ort, den man auf Erden vergeblich sucht«, dessen Schönheit allerdings – wie es im Gründungsaufruf zur Universität 1477 heißt – mit eigenen Augen geschaut werden möchte.

Anyone visiting Tübingen will be confronted by a lively, youthful university city with a high quality of life, reflecting today's modern era. Young people, mostly students, define the town's landscape. There are over 20,000 students enrolled at the university. Coupled with 86,000 inhabitants, this gives Tübingen the highest "student density" of any university city in Germany.

Its handling of its urban tradition, history and the cultural memories of the past, gives the city its charm and attraction. A medieval, magical old town, a stylish university district created in the 19th Century and modern districts created in recent decades—such as the much admired French Quarter or the Loretto District—determine the outward appearance and clearly show visitors the development of the city.

For some, Tübingen's idyllic old town or the poets connected with the city give it a romantic appearance. For others, this town, in which Kepler, Hegel and Schelling gained their mental spurs, in which Silcher composed his songs, Pope Benedict XVI. worked as a lecturer and Hans Küng presided over the "Foundation for a Global Ethic", has a rebellious nature, full of tension and contrasts. Some say that in Tübingen nothing is the same as elsewhere.

It is true that "both-and" applies here. Tübingen is a young, old, small, large city, defined by provinciality and universality, is still the Upper and Lower City, country city and world-class city, university village and Athens on the Neckar : close-knit and open, vast and manageable. Tübingen is, as Mörike said, "the country which shines into the distance" and, according to Isolde Kurz, a "place, the like of which it is impossible to find on earth", whose attractiveness—as it says in the foundation documents of the university in 1477—needs to be seen with one's own eyes.

Le visiteur qui explore Tübingen découvre une ville universitaire de haute qualité, vivante, jeune et juvénile, marquée par le modernisme de l'époque actuelle. L'image de la ville est caractérisée par des jeunes gens, pour la plupart des étudiants. Plus de 20 000 d'entre eux sont immatriculés à l'université. Sur une base de 86 000 habitants, nous rencontrons la plus forte « densité estudiantine » des villes universitaires allemandes.

Mais le charme de la ville et son attractivité proviennent aussi, et peut-être même avant tout, de ses relations avec son héritage urbain, de son histoire et des témoins culturels du passé. Une vieille ville charmante à l'ambiance moyenâgeuse, un quartier universitaire de grand style datant du 19ème siècle et des quartiers modernes érigés pendant les siècles passés, comme le Quartier Français et l'Aire Loretto, déterminent la physionomie extérieure et présentent au visiteur de façon claire et impressionnante comment la ville s'est développée.

Pour certains, Tübingen est romantique, à cause de sa vieille ville idyllique ou des poètes liés à cette localité. Pour d'autres, cette bourgade est un lieu récalcitrant, plein de tensions et de contradictions : Hegel et Schelling y reçurent leurs outils intellectuels, Silcher y composa ses chants, Hölderlin y vécut, le Pape Benoît XVI y officia en tant que professeur et Hans Küng y préside la Fondation Ethique Planétaire. Certains affirment même qu'à Tübingen tout est autrement qu'ailleurs.

Une chose est sûre : Il faut, ici, tenir compte du « non seulement mais encore ». Tübingen est une jeune ville ancienne, une petite grande ville imprégnées de provincialisme et de mondialisme, elle est toujours Ville Haute et Ville Basse, province et métropole, village universitaire et Athènes sur le Neckar : Etroite mais ouverte sur le monde, vaste mais maîtrisable du regard. Tübingen est, comme l'a formulé Mörike, « un pays qui luit au loin » ou, d'après Isolde Kurz, « un lieu qu'il est vain de chercher sur terre » mais dont la beauté veut être vue de ses propres yeux, comme le précise la déclaration de fondation de l'université de 1477.

Der einstige Holzmarkt, umrahmt von der spätgotischen Stiftskirche (links) und altehrwürdigen Geschäftshäusern: lebendig, lebhaft, pittoresk.

The former Wood Market, framed by the Late Gothic Collegiate Church (left) and the historic merchant's houses—lively and picturesque.

L'ancien Marché au Bois, encadré par la Collégiale de style gothique flamboyant (à gauche) et de commerces installés dans de vieilles maisons respectables : rempli de vie et pittoresque.

Der heilige Georg als Drachentöter: Der Patron der Stiftskirche, vor der er auf einer Brunnensäule steht, verleiht dem Holzmarkt eine besondere Note.

St. George as the dragon slayer : the patron of the Collegiate Church, in front of which he stands on a fountain column, giving the Wood Market a special atmosphere.

Saint-Georges terrassant le dragon. Le patron de la Collégiale, devant laquelle il se dresse sur la colonne d'une fontaine, procure une note particulière au Marché au Bois.

Aus der Vogelschau führt der Blick von der Stiftskirche mit dem Holzmarkt im Vordergrund entlang dem Neckar bis zum Evangelischen Stift.

From a bird's-eye perspective, the view from the Collegiate Church with the Wood Market in the foreground along the Neckar to the Protestant College.

Une vue à vol d'oiseau conduit le regard de la Collégiale et du Marché au Bois, au premier plan, le long du Neckar jusqu'à la Fondation Protestante.

■

In der Stiftskirche findet
man Kunstwerke von hohem Rang:
Der Chor mit seinen gotischen
Glasfenstern diente den Fürsten
Württembergs als Grablege.

The Collegiate Church contains
fine works of art : the choir
with its Gothic glass windows
serves as mausoleum for the
Dukes of Württemberg.

La Collégiale renferme
des œuvres d'art d'importance :
Le chœur et ses vitraux
gothiques abritent les tombeaux
des princes de Wurtemberg.

Die Alte Aula am Hang des Neckars, eines der ältesten Gebäude der von Graf Eberhard im Bart im Jahr 1477 gegründeten Universität Tübingen.

The Old Hall on the slopes of the Neckar, one of the oldest buildings of Tübingen University, founded by Duke Eberhard I in 1477.

L'Ancienne Aula est un des plus anciens bâtiments de l'université de Tübingen, elle fut créée en 1477 par le duc Eberhard I, dit le Barbu.

Die aus dem Mittelalter stammende Stadtmauer am Neckar kann man nicht nur bestaunen; sie lädt ein zum Verweilen, Plaudern und Flanieren.

The city wall, dating back to the Middle Ages, with its view of the Neckar, is not just attractive — it is an invitation to relax, chat and stroll.

On peut admirer les murailles de la ville dressées au moyen-âge le long du Neckar, mais on peut aussi s'y arrêter, bavarder et flâner.

Mit John Osbornes »Blick zurück im Zorn« 1958 eröffnet, hat sich das Zimmertheater als eine der erfolgreichsten deutschen Kleinbühnen profiliert.

Opened with John Osborne's "Look Back in Anger" in 1958, the Zimmertheater gained a reputation as one of the most successful small theatres in Germany.

Depuis son ouverture avec « La paix du dimanche » de John Osborne en 1958, le Zimmertheater fait partie des théâtres de poche allemands les plus couronnés de succès.

Ein abendlicher »Schokoladenblick« auf Tübingen entlang der vom Neckar umspülten Stadtmauer von der Eberhardsbrücke bis zum Hölderlinturm.

An evening "chocolate-box view" of Tübingen along the city wall by the Neckar from Eberhard's Bridge to the Hölderlin Tower.

Une « sérénade visuelle » de Tübingen : Les murailles baignées par le Neckar entre le pont Eberhard jusqu'à la tour Hölderlin.

Eine Stocherkahnfahrt auf dem Neckar gehört zu Tübingen wie der Turm, in dem der kranke Dichter Friedrich Hölderlin von 1807 bis zu seinem Tod 1843 lebte.

A punt trip on the Neckar is as much a part of Tübingen as the tower in which the sick poet Friedrich Hölderlin lived from 1807 until his death in 1843.

Une promenade en barque à perche sur le Neckar appartient à Tübingen comme la tour dans laquelle le poète Friedrich Hölderlin, malade, vécut de 1807 jusqu'à sa mort en 1843.

Das »kleine geweißnete amphitheatralische Zimmer« im ersten Stock des Turms, Wohnort Friedrich Hölderlins, lädt ein zur Begegnung mit dem »genius loci«.

The “small, white, amphitheatrical room” in the first floor of the tower, in which Friedrich Hölderlin lived, allows one to experience the “genius loci”.

La « petite chambre blanchie en amphithéâtre » du premier étage de la tour, habitation de Friedrich Hölderlin, invite à rencontrer le « genius loci ».

Von der Platanenallee aus eröffnen sich immer wieder anmutig-bezaubernde Blicke über den Neckar hinweg auf Tübingens Altstadt. In der Burse, dem großen Gebäude rechts, lehrte von 1514 bis 1518 der Humanist und Reformator Philipp Melanchthon.

From Platanenallee, there is a range of attractive and magical views over the Neckar to Tübingen's old town. The humanist and reformer Philipp Melanchthon taught in the large building on the right, the Bourse, between 1514 and 1518.

De l'allée des platanes, de charmants points de vue au-delà du Neckar nous dévoilent la vieille ville de Tübingen. De 1514 à 1518, l'humaniste et réformateur Philipp Melanchthon enseigna dans le grand bâtiment de droite, nommé la « Burse ».

Das in der Reformation aufgelöste Augustinerkloster beherbergt seit 1547 das Evangelische Stift, eine der bedeutendsten Ausbildungsstätten für Theologen.

Since 1547, the buildings of the Augustinian monastery, dissolved in the Reformation, have been home to the Protestant College, one of the most important educational colleges for theologists.

Depuis 1547, le monastère des Augustins, dissous pendant la Réforme, abrite la Fondation Protestante, un des plus importants centres de formation théologique.

Der Klosterberg mit seinem eigentümlichen Ambiente verdankt seinen Namen Augustiner-Mönchen, die sich hier im 13. Jahrhundert niedergelassen hatten.

The Klosterberg, with its homely atmosphere, gained its name from the Augustinian monks, who settled here in the $13^{th}$ Century.

La colline du monastère et son ambiance particulière doit son nom à des moines augustins qui s'y établirent au $13^{ème}$ siècle.

AO 1785
SUPERATTENDENTEN
DR LUDWIG JOSEPH UHLAND
DR TOBIAS GOTTFRIED
EPHORUS
PROFESSOR CHRISTIAN FRIEDRICH
PROCURATOR
JOHANN CARL HELLER

Nicht nur als Theologen wurden zahlreiche »Stiftler« berühmt. Man denke an Kepler, Mörike, Hauff oder das »Dreigestirn« Hegel, Schelling, Hölderlin.

Countless "Stiftler", i.e. people of the college, were not just famous as theologists : Kepler, Mörike, Hauff or the "Triumvirate" of Hegel, Schelling and Hölderlin also attended the college.

Ce n'est pas seulement en tant que théologiens que de nombreux élèves de la fondation, les « Stiftler », ont acquis leur renommée. Nous ne citerons que Kepler, Mörike, Hauff ou la « triple constellation » Hegel, Schelling, Hölderlin.

Der spätmittelalterliche Universitätskarzer mit der »skandalösen« Ausmalung von 1736, die die Ernährung eines im Gefängnis Schmachtenden darstellt.

The late-medieval university lockup with the “scandalous” paintings of 1736, portraying the malnutrition of those languishing in the prison.

Le cachot de l’université, datant du moyen-âge, et sa peinture « scandaleuse » de 1736 représentant l’alimentation d’un prisonnier affamé.

■

Der Weg zum Schloss, die Burgsteige, wird von den ältesten Häusern Tübingens flankiert. Bei »Gruppenbach« (links) wurde Keplers Erstwerk gedruckt.

The route to the castle, Burgsteige, is flanked by the oldest houses in Tübingen. Kepler's first folio was printed at "Gruppenbach's" (left).

Le chemin vers le château, la Burgsteige, est flanqué des plus anciennes maisons de Tübingen. C'est chez « Gruppenbach » (à gauche) que le premier ouvrage de Kepler a été imprimé.

Den Schlossbereich öffnet dem Besucher eines der schönsten Portale der Renaissancezeit, ein prunkvolles Tor: wehrhaft und repräsentativ zugleich.

One of the most attractive and majestic gateways of the Renaissance era opens up the castle area to the visitor—mighty and artistic at the same time.

Le visiteur accède au château par une des plus belles entrées de la Renaissance, une portail fastueux: Œuvre martiale mais aussi représentative.

Durch ein zweites Tor gelangt man in den geräumigen Innenhof des Schlosses, dessen Südflügel über eine Holzgalerie im ersten Stock erschlossen wird.

A second gateway takes you into the large inner courtyard of the castle, whose southern wing is accessible by a wooden gallery on the first floor.

Un deuxième portail conduit à la vaste cour intérieure du château. Son aile sud est accessible par une galerie en bois située au premier étage.

Im Schlossmuseum kann man die ältesten Kunstwerke der Welt besichtigen, darunter ein rund 35 000 Jahre altes Pferdchen.

The Castle Museum allows you to view some of the oldest works of art in the world, including a small horse, which is around 35,000 years old.

Le musée du château permet d'admirer les plus anciennes œuvre d'art du monde parmi lesquelles un petit cheval âgé de 35 000 ans.

Zu den Schausammlungen der Universität zählen neben griechischer Keramik und Kleinkunst auch Abgüsse klassischer Figuren und Reliefs.

Besides Greek ceramics and minor art, the collections of the university also include casts of classical figures and reliefs.

Outre de la céramique grecque et des petits objets, les collections de l'université comportent des copies de figures et reliefs classiques.

■

Von nördlichen Höhen sieht man weit über die Stadt und das Schloss bis zur Schwäbischen Alb, der von Eduard Mörike besungenen »blauen Mauer«.

From the northern hills, one has a view well beyond the town and the castle up to the Swabian Jura, the "Blue Wall", as Eduard Mörike called it.

A partir des hauteurs septentrionales, la vue s'étend bien au-delà de la ville et du château jusqu'au Jura Souabe, qu'Eduard Mörike décrivit comme un « mur bleu ».

Der Ziergiebel des Rathauses beherbergt eine astronomische Uhr, die 1511 der Professor und Astronom Johannes Stöffler konstruiert und erbaut hat.

The decorative gable of the City Hall contains an astronomical clock, constructed in 1511 by the professor and astronomer Johannes Stöffler.

Le pignon ornementé de l'hôtel de ville comporte une horloge astronomique que Johannes Stöffler, professeur et astronome, a conçue et construite en 1511.

Von der Kanzel des Rathauses aus wurden früher den Bürgern jährlich ihre »Ge- und Verbote« verlesen, heute können sie von hier den Marktplatz überblicken.

In the past, citizens annually heard their "requirements and bans" from the balcony of the City Hall, whilst today they can look over the Market Square.

C'est de la chaire apposée à l'hôtel de ville qu'autrefois les « obligations et interdictions » étaient proclamées annuellement aux habitants. De nos jours on y jouit d'une belle vue sur la Place du Marché.

Der Radweg ins Rathaus: Oberbürgermeister Boris Palmer ist überall in der Stadt mit dem Drahtesel unterwegs – für Fitness und Klimaschutz.

The cycleway to the city hall: Lord Mayor Boris Palmer always rides his bike aroud the city— for fitness and environmental protection.

Sur la piste cyclable vers l'hôtel de ville : En ville, le Premier-Bourgmestre Boris Palmer se déplace en « bécane » – pour sa bonne forme et la protection climatique.

Der Marktplatz, die »gute Stube der Stadt«, dient als Kulisse für vielfältiges öffentliches Leben, aber auch immer noch als Ort des Handels und der Märkte.

The Market Square, the town's "front room", serves as a backdrop for a range of public activities, and also as a place for trade and markets.

La Place du Marché, la « bonne chambrée » de la ville, sert de coulisses à de nombreuses animations publiques mais reste toujours un lieu de commerce et de marchés.

In der Adventszeit lädt der traditionelle Weihnachtsmarkt ein zum Bummeln, Kaufen, Essen und Trinken, zum Schauen und Genießen.

During Advent, the traditional Christmas market invites you to stroll and buy, to eat and drink, to look and enjoy.

Pendant l'Avent, le Marché de Noël traditionnel invite à la promenade, et aux achats et propose de quoi manger et boire. On y regarde et savoure.

Wie hier beim Schokoladenfestival ChocolART bereichern im Verlauf des Jahres immer wieder außergewöhnliche Märkte mit speziellen Angeboten den Marktplatz.

Special markets during the course of the year, such as the ChocolART chocolate festival, enrich the life of the Market Place.

Comme ici lors du festival du chocolat ChocolART, des marchés inhabituels enrichissent régulièrement la Place du Marché par la particularité de leurs offres.

Gelassen schauen die alten Bürgerhäuser auf den »Umbrisch-Provenzalischen Markt«, auf dem Tübingens Partnerstädte ihre Ware anbieten.

The old citizens' houses watch quietly over the "Umbrian and Provençal Market", at which Tübingen's twin towns present their produce.

C'est avec calme que les vieilles maisons observent le « Marché Ombrio-Provençal », au cours duquel les villes jumelles de Tübingen proposent leurs produits.

Einmal im Jahr überziehen Händler aus Aix-en-Provence und Perugia Tübingen mit südländischem und mediterranem Flair für alle Sinne.

Once a year, tradespeople from Aix-en-Provence and Perugia give Tübingen a Mediterranean atmosphere for all the senses.

Une fois par an, les commerçants d' Aix-en-Provence et de Pérouse plongent Tübingen dans une ambiance méridionale et méditerranéenne qui touche tous les sens.

■

Die Ammergasse trägt ihren Namen nach einem Bach, der, schon im Mittelalter kanalisiert, zur vielfältigen Nutzung durch die Stadt gelenkt wurde.

Ammergasse gets its name from the stream, which was channelled through the town as far back as the Middle Ages for use by the populace.

La ruelle Ammergasse doit son nom à un ruisseau, qui, canalisé dès le moyen-âge, a été conduit à travers la ville où il servait à de nombreux usages.

Auch in der Haaggasse verbirgt sich unter dem Putz der alten Häuser meist hölzernes Fachwerk, heute an vielen Stellen wieder behutsam offengelegt.

In Haaggasse too, there is half-timbering underneath the plaster of the old houses, which has been carefully exposed in many places.

Dans la Haaggasse également, des colombages en bois se cachent souvent sous le crépis des anciennes maisons. A de nombreux endroits ils ont été dégagés avec précaution.

Die Jakobuskirche der »unteren Stadt«, dort, wo laut Goethe die »Feldleute und Weingärtner« hausten, war einst eine Station des Wallfahrerwegs nach Santiago de Compostela.

St James's Church in the "Lower City", where, according to Goethe, the "people of the fields and vineyards" lived, was once a stopping point on the pilgrimage route to Santiago de Compostela.

L'église Saint-Jacques de la « Ville Basse », là où selon Goethe « habitaient les paysans et les vignerons », étaient autrefois une étape pour les pèlerins sur le chemin de Saint-Jacques de Compostelle.

So unterschiedlich können »Ausleger« sein: oben ein Gaststättenschild in der Kornhausstraße und unten ein Treppenturm der Feuerwehr am Kelternplatz.

Signs can be very varied : at the top, a restaurant sign in Kornhausstraße and, at the bottom, a stairway at the fire station on Kelternplatz.

Des « pièces rajoutées » de natures bien différentes : En haut, l'enseigne d'une auberge de la Kornhausstraße et, en bas, les échelles métalliques des sapeurs-pompiers sur la Place du Pressoir.

Der um 1475 in alemannischer Fachwerkbauweise errichtete herzogliche Fruchtkasten zählt zu den ältesten und imposantesten Bauten der Stadt.

The Ducal Fruit Store, built in 1475 in Alemannic half-timbered style, is one of the oldest and most imposing buildings in the town.

La Grange Ducale à colombages alémaniques, construite en 1475, compte parmi les bâtiments les plus anciens et les plus imposants de la ville.

BUS
BUS
BUS

Die bunte Vielfalt der Dächerwelt zeigt dieser Blick von Nord nach Süden auf die Altstadt, deren Achse hier von der Stiftskirche her die Lange Gasse bildet.

This north-south view of the old city, showing the colourful range of roofs, is marked by the axis of Lange Gasse running from the Collegiate Church.

Ce panorama de la vieille ville, du nord vers le sud, découvre la diversité bariolée des toitures. Partant de la Collégiale, le regard suit un axe déterminé par la Grande Ruelle.

Der großartigen Silhouettenkünstlerin Lotte Reiniger (1899–1981) und ihrem unglaublich vielfältigen Werk ist im Stadtmuseum ein ganzer Stock gewidmet.

A whole floor of the City Museum is dedicated to the wonderful silhouette artist Lotte Reiniger (1899–1981) and her amazingly varied work.

Un étage complet du musée communal est dédié à la sublime découpeuse de silhouettes Lotte Reiniger (1899–1981) et à son œuvre à la diversité incroyable.

»Fensterln« in der Marktgasse, doch anders als sonst – dafür bei gutem Wetter täglich und, besonders schön, abends.

Two windows bring together the visitors of a hostelry in Marktgasse—ordinary when the weather is good, but particularly attractive in the evening.

On se « met à la fenêtre » dans la Ruelle du Marché, mais à l'extérieur – quotidiennement par beau temps et, au mieux, le soir.

Die reichhaltige Musikszene bietet jedem Geschmack etwas Besonderes. Ein beliebter Treff für Jazzfreunde: das Café Piccolo in der Metzgergasse.

The varied musical scene can offer something special for any taste. A popular meeting point for jazz fans is Café Piccolo in Metzgergasse.

Une riche scène musicale propose ses spécialités à tous les goûts. Un lieu de rencontre favori des amateurs de jazz : Le Café Piccolo dans la Ruelle des Bouchers.

Die Marktgasse ist eine der typischen Altstadtgassen mit Kopfsteinpflaster und Etage für Etage vorkragenden Wohn- und Geschäftshäusern.

Marktgasse is one of the typical old city lanes with cobbled streets, and houses and shops which slowly creep forward as the storeys rise higher.

La Ruelle du Marché est une ruelle typique de la vieille ville avec ses pavés et ses habitations et commerces à étages à encorbellement.

Immer wieder gilt es kleine Plätze zu entdecken, die zum Verweilen einladen, wie hier bei der Stadtmauer am Ammerkanal, dem sogenannten »Affenfelsen«.

There are a wealth of small squares to discover and in which to spend time, for example here next to the City Wall by the Ammer Canal, the so-called "Affenfelsen".

On découvre toujours des petits endroits où l'on aime s'atarder, comme ici, le long du canal de l'Ammer, près des murailles, à un lieu nommé le « rocher des singes ».

Am »Nonnenhaus«, wo einst Beginen wohnten, legte um 1540 Leonhard Fuchs, nach dem die Fuchsie benannt ist, den ersten Botanischen Garten an.

In 1540, Leonhard Fuchs, after whom the fuchsia is named, founded the first Botanical Garden by the "Nonnenhaus", where beguines used to live.

C'est à la « Maison des Nonnes », habitée autrefois par des Béguines, que Leonhard Fuchs, qui donna son nom à la fuchsia, aménagea le premier jardin botanique.

Der hufeisenförmige Pfleghof
des einstigen Zisterzienserklosters
Bebenhausen beherbergt
seit über hundert Jahren das
Musikwissenschaftliche Institut.

For more than one hundred years,
the horseshoe-shaped tithe building
of the former Cistercian monastery
of Bebenhausen has been home to the
Institute of Musical Studies.

La base d'accès en fer à cheval
de l'ancien monastère
cistercien de Bebenhausen abrite
depuis plus de cent ans
l'Institut des Sciences Musicales.

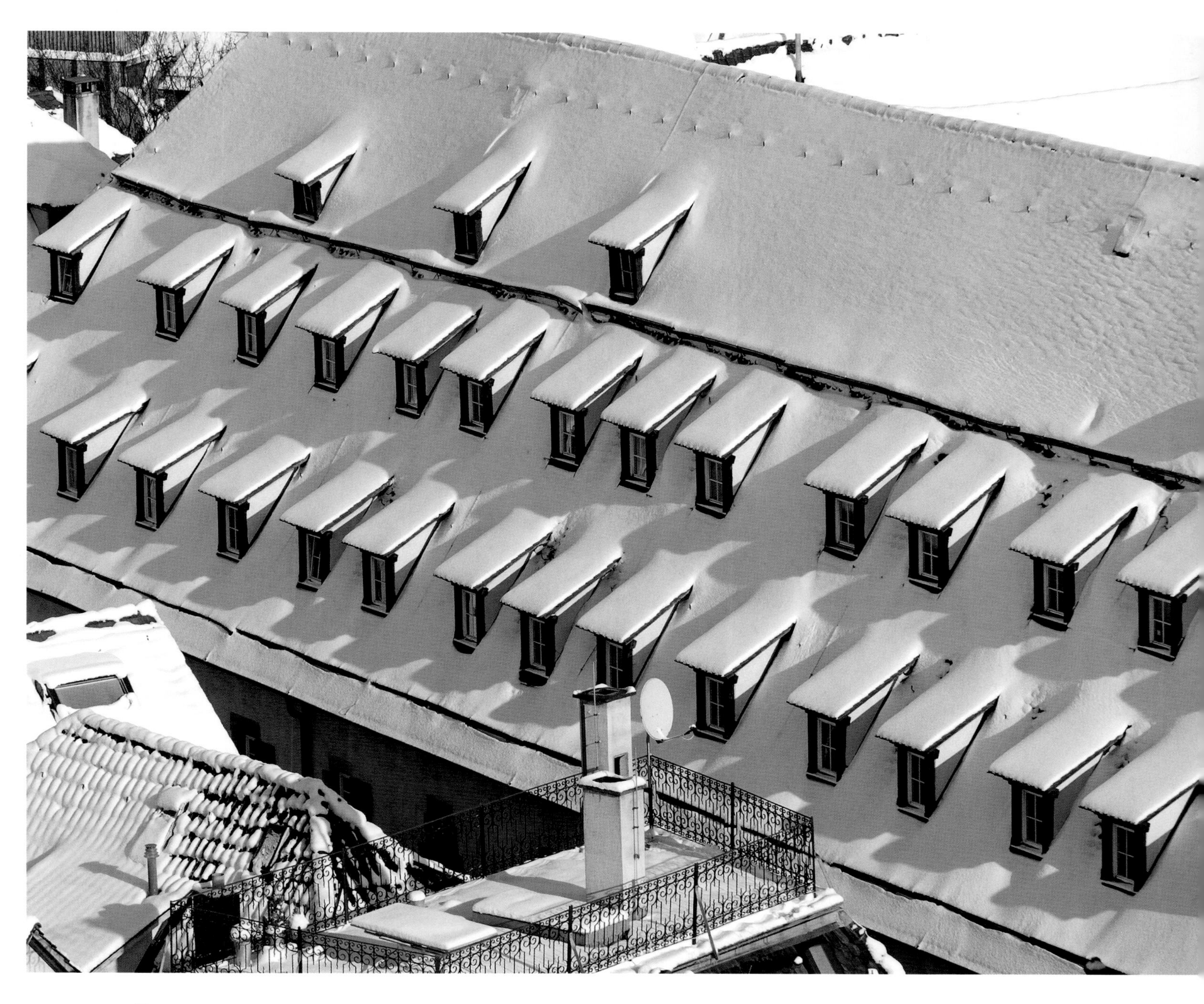

Wo einst die Mönche des Klosters ihre Vorräte lagerten, sind heute nach einer sorgfältigen Sanierung kleine Wohnungen für Studierende untergebracht.

Today, after careful restoration, the buildings where the monks of the monastery used to store their supplies are now home to small flats for students.

Là où autrefois les moines rangeaient leurs provisions, de petits appartements pour étudiants ont été aménagés après un assainissement soigneux.

Lichtspiele verändern die Fassade und den Vorplatz der Neuen Aula, dem 1845 eingeweihten zentralen Universitätsgebäude an der Wilhelmstraße.

Light and projections change the façade and square in front of the New Hall, the central university building, opened in 1845, in Wilhelmstraße.

Des spectacles lumineux transforment la façade et l'avant-cour de la Nouvelle Aula. Le bâtiment central de l'université inauguré en 1845 est situé dans la Wilhelmstraße.

Auf dem Pflaster herrscht Leben: beim Fastnachtstreiben oder bei den Tagblatt-Gutenacht-geschichten hinter der Stiftskirche oder beim Musikanten auf der Straße.

Lively streets : during the Carnival procession, by the “Tagblatt Bedtime Stories” behind the Collegiate Church and with musicians on the streets.

Animation sur le pavé : Pendant le carnaval ou bien, derrière la Collégiale, pendant les soirées de lecture du journal Tagblatt ou bien encore lors des animations « des musiciens dans la rue ».

■

Im Freien sitzen und genießen:
im Garten des ehemaligen
Offizierskasinos in der Wöhrdstraße
beim Zusammenfluss
von Steinlach und Neckar ...

Sitting outside and enjoying
the garden of the former officers'
casino in Wöhrdstraße at the
confluence of the Steinlach and
the Neckar ...

S'asseoir dehors et savourer dans
le jardin de l'ancienne cantine
des officiers de la Wöhrdstraße
au confluent de la Steinlach
et du Neckar ...

■ Fahrräder gehören zu Tübingen wie die
Dichter und Denker, die Professoren und die
Gogen, wie Neckar und Ammer.

Bicycles are as much a part of Tübingen as
poets and philosophers, professors
and winegrowers, the Neckar and the Ammer.

Les bicyclettes font partie intégrante de Tübingen
comme les poètes et les penseurs, les
professeurs et les rustres vignerons locaux et
comme le Neckar et l'Ammer.

■

... oder fast gegenüber im
Garten vom Neckarmüller im
Schatten alter Bäume.

... or just opposite in the
garden of the Neckarmüller in
the shadow of old trees.

... ou bien, à l'ombre de
vieux arbres, dans le jardin du
Neckarmüller.

Im Spiegel des Flusses kommt es zu einem der schönsten Dreiklänge: die Platanenallee, der Neckar und die auf der inneren Stadtmauer aufsitzende Häuserfront.

One of the prettiest harmonies can be found in the mirror of the river : Platanenallee, the Neckar and the houses sitting on the inner City Wall.

Une harmonie parfaite règne dans le miroir de la rivière : L'allée de platanes, le Neckar et les façades des maisons perchées sur la muraille de la ville.

H
Neckarbrücke
naldo
SVT
CCCP

Die Blätter fallen, die Stocherkähne vereinsamen am Neckarufer. Bald werden sie samt Sitzbrettern und Stocherstange ins Winterquartier abgeholt.

Leaves fall and punts meet on the banks of the Neckar. Soon they are collected and taken, along with their seats and poles, to their winter home.

Les feuilles tombent, les barques à perche sont abandonnées sur la rive du Neckar. Bientôt elles seront transportées avec sièges et perches dans leur quartier d'hiver.

Wer dieses Nadelöhr als Erster durchfährt, hat beim jährlichen Stocherkahnrennen rund um die Platanenallee den Sieg schon so gut wie in der Tasche.

Anyone getting through this bottleneck first is almost certain to win the annual punt race around Platanenallee.

Le premier qui traversera ce goulot aura toutes les chances de remporter la victoire lors de la course annuelle des barques à perche tout autour de l'allée des platanes.

In der Platanenallee besitzt Tübingen ein wahres Kleinod, ein einzigartiges Natur- und Kulturdenkmal, dessen Zauber keinen Besucher unberührt lässt.

In Platanenallee, Tübingen has a real treasure, a unique natural and cultural monument, whose magic touches every visitor.

Pour Tübingen, l'allée des platanes est un véritable joyau. C'est une curiosité naturelle et culturelle dont la magie touche tout visiteur.

Ein beliebter Treffpunkt am Anlagensee, nicht nur für Schüler und Schülerinnen: die Kopie der 1808 von Johann Heinrich Dannecker geschaffenen Nymphen.

A popular meeting point by the Anlagensee, not only for pupils : the copy of the Nymphs, created in 1808 by Johann Heinrich Dannecker.

Un lieu de rendez-vous favori à l'Etang du Parc, non seulement pour les écolières et écoliers : Copie des nymphes sculptées en 1808 par Johann Heinrich Dannecker.

Beim Anlagensee sind drei der Tübinger Gymnasien angesiedelt, die ganz unterschiedliche Ausbildungsschwerpunkte haben: das Uhland-, das Kepler- und das Wildermuth-Gymnasium (im Uhrzeigersinn)

Three of Tübingen's grammar schools are located by the Anlagensee, and have very different educational targets : the Uhland, Kepler and Wildermuth Gymnasiums (in a clockwise direction)

Trois lycées de Tübingen aux filières totalement différentes sont aménagés près de l'Etang du Parc : les lycées Uhland, Kepler et Wildermuth (dans le sens des aiguilles d'une montre).

Ein Panorama mit dem Bahnhof,
dem Anlagensee, der
Platanenallee und der Neckarfront
von der Stiftskirche bis
zum alles bekrönenden Schloss.

A panorama with the station,
the Anlagensee, Platanenallee
and the northern bank of the
Neckar from the Collegiate Church
to the majestic castle.

Vue panoramique sur la gare,
l'Etang du Parc, l'allée
des platanes et le Neckar, partant
de la Collégiale jusqu'au
château qui couronne l'ensemble.

Die Neckarbrücke bei Nacht und ihre Lichterspuren mit einem Blick auf die im 19. Jahrhundert jenseits entstandene Neckarvorstadt.

The Neckar Bridge at night and its light trails looking towards the Neckarvorstadt, created in the $19^{th}$ Century.

Cette vue sur le pont du Neckar de nuit, avec ses traces lumineuses, laisse entrevoir le quartier du Neckar construit au $19^{ème}$ siècle.

■ Der jährliche Stadtlauf, seit 1994 von der Tübinger Leichtathletik-Vereinigung veranstaltet, erfreut sich großer Beliebtheit bei Zuschauern wie bei Läufern, darunter stets Profiprominenz.

The annual City Run, organised by the Tübingen Athletics Association since 1994, is extremely popular with both spectators and runners alike, and is also enjoyed by the stars.

La « Course à travers la ville » organisée depuis 1994 par l'Association d'Athlétisme de Tübingen, attire de nombreux spectateurs et de nombreux coureurs, parmi lesquels ont retrouve toujours des personnalités du sport.

Seit 1861 ist Tübingen ans württembergische Eisenbahnnetz angeschlossen. Vom Bahnhof sind es nur wenige Gehminuten bis zur Altstadt.

Tübingen has been connected to the Württemberg railway network since 1861. It is just a few minutes' walk from the station to the Old City.

Tübingen est rattachée au réseau de chemins de fer du Wurtemberg depuis 1861. Quelque minutes à pieds séparent la gare de la vieille ville.

Nahe beim Bahnhof am Europaplatz steht das Epplehaus, dessen Fassade verdeutlicht, dass es ein ungewöhnliches Jugendhaus beherbergt.

On Europaplatz near the station, is the Epplehaus, whose façade clearly shows that it is an unusual house for young people.

Sur la place de l'Europe, près de la gare, se dresse la Maison Epple. Sa façade montre, sans équivoque, qu'il s'agit d'une Maison des Jeunes inhabituelle.

Wie trutzige Burgen oder großzügige Herrensitze präsentieren sich die fahnengeschmückten studentischen Verbindungshäuser auf dem Österberg.

The flagged fraternity houses on Österberg look like defiant castles or well-proportioned manor houses.

Tels des châteaux forts ou des maisons de maître de grand style, les maisons des corporations d'étudiants et leurs drapeaux se dressent sur la colline du Österberg.

Der 1890/91 in patriotischer Gesinnung erbaute Kaiser-Wilhelm-Turm auf dem Österberg trägt heute einen Fernsehumsetzer und Mobilfunkantennen.

The Kaiser Wilhelm Tower, built in a patriotic style in 1890/91 on the Österberg, is now home to a television repeater station and mobile phone masts.

La tour de l'Empereur Guillaume, dressée sur l'Österberg en 1890/91 dans un élan de patriotisme, est aujourd'hui équipée d'un retransmetteur de télévision et d'antennes de radiotéléphonie.

Wie eine Traumlandschaft:
der Österberg mit der Silhouette
des Kaiser-Wilhelm-Turms
und in der Ferne die sanfte Hügelkette
der Schwäbischen Alb.

Like a dream landscape :
the Österberg with the silhouette of
the Kaiser Wilhelm Tower and,
beyond that, the soft chain of the
Swabian Jura.

Un paysage de rêve : L'Österberg
et la silhouette de la tour de
l'Empereur Guillaume et, au loin,
la douce chaîne des monts
du Jura Souabe.

Im Sendestudio des Südwestrundfunks, der als Informations- und Kulturzentrum Impulse aus der ganzen Region aufnimmt und weitergibt. Am Mikrofon Moderator Michael Welter.

In the studio of Südwestrundfunk (SWR, South-West Radio), which, as a centre for information and culture, records and broadcasts items from across the whole region. At the microphone is the DJ, Michael Welter.

Dans les studios de Südwestrundfunk (SWR, la Radiodiffusion du Sud-Ouest). Centre d'information et de culture, elle collecte et redistribue des impulsions de toute la région. Au microphone, l'animateur Michael Welter.

■

Als Militärkrankenhaus in der NS-Zeit gebaut, dient dieses Gebäude auf dem Sand heute dem Wilhelm-Schickard-Institut für Informatik an der Universität Tübingen.

Built as a military hospital during the National Socialist era, this building on the "Sand" now houses the Wilhelm Schickard Institute for Information Technology of the University of Tübingen.

Cet ancien hôpital militaire bâti à l'époque du national-socialisme au quartier « Sand » abrite aujourd'hui l'Institut d'informatique Wilhelm Schickard de l'université de Tübingen.

■

Das Paul-Lechler-Krankenhaus in Halbhöhenlage dient seit einem Jahrhundert als Spezialklinik für Tropen- und Reisemedizin.

The Paul Lechler Hospital, halfway up the hill, has been a special clinic for tropical and travel medicine for a century.

L'hôpital Paul Lechler, construit à flanc de colline, sert depuis un siècle de clinique spécialisée en maladies tropicales et médecine de voyages.

Im Privatmuseum »Boxenstop« können Jung und Alt rund 70 Oldtimer und über tausend Spielsachen, phantastisch präsentiert, bestaunen und erleben.

In the “Boxenstop” private museum, young and old can marvel at and enjoy around 70 veteran cars and more than a thousand toys.

Le musée privé « Boxenstop » permet aux jeunes et moins jeunes de contempler et d’admirer environ 70 voitures de collection et plus de mille jouets dans une présentation admirable.

Als grüne Lunge der Stadt
präsentiert sich der Österberg
zwischen Ammer- und Neckartal.
Zu seinen Füßen liegen große
Universitätseinrichtungen.

The Österberg, situated between the
Ammer and Neckar Valleys, is
the green heart of the city, at the
foot of which lie huge institutes
of the university.

L'Österberg, situé entre les vallées
de l'Ammer et du Neckar et au
pied duquel se dressent de grands
ensembles universitaires
est le poumon vert de la ville.

Auch um Almosen bittende Punks gehören zur Tübinger Szene und bringen zusätzliche Farbe in das Stadtbild.

Punks begging for alms also belong to the Tübingen "scene", providing the urban landscape with additional colour.

Les punks mendiants appartiennent aussi à la scène de Tübingen et ajoutent des couleurs à la physionomie de la ville.

■

Im Bildraffer: ein einmaliger Blick vom Bahnhofsgelände über die Altstadt von der Burse zum Altklinikum und zum dahinterliegenden »Elysium«. Die Sonne streift die 1894 in historistischer Backsteingotik errichtete Nervenklinik (heute Klinik für Psychiatrie und Psychotherapie) und dahinter die dem Neuen Bauen verpflichtete Frauenklinik.

A telephoto : A unique view from the station, over the Old City, from the Bourse to the Old Clinic and the "Elysium" beyond. The sun shines on the Neural Clinic, built in 1894 in a historical Gothic brick style (and today the Clinic for Psychiatry and Psychotherapy) and, beyond that, the Women's Clinic in the "New Building" style.

Une séquence imagée : Une vue exceptionnelle de la zone de la gare vers la vieille ville, de la « Burse » vers l'ancienne clinique et l'Elysium situé derrière. Le soleil illumine la clinique psychiatrique construite en 1894 dans un style gothique en briques de tendance pseudo-historique (aujourd'hui clinique pour psychiatrie et psychothérapie) à l'arrière, la clinique de gynécologie d'architecture « Neues Bauen » (nouvelle construction).

Einfache Mittel, Balkone und Farblinien, können eintönige Hochhäuser der Achtzigerjahre auf »Waldhäuser-Ost« in spannungsreiche Architektur umwandeln.

Simple additions, balconies and coloured lines turn monotonous blocks of flats from the 1980s on the "Waldhäuser-Ost" estate into exciting architecture.

A l'aide de moyens simples, balcons et lignes colorées, les barres monotones des années 80 du quartier « Waldhäuser-Ost » peuvent être transformées en une architecture captivante.

Das neue Jahr wird mit einem prächtigen Feuerwerk begrüßt, das den Himmel über der Stadt in ein Lichtermeer verwandelt: ein unvergleichlicher Augenschmaus.

The new year is welcomed with a massive display of fireworks, turning the sky above the city into a sea of light—an incomparable feast for the eyes.

Le Nouvel An se fête par un feu d'artifice grandiose qui transforme le ciel au-dessus de la ville en un océan de lumières : un régal visuel inoubliable.

Zwei Zeiten begegnen sich: im Sonnenstrahl das 1883 erbaute Haus des Corps der Rhenanen auf dem Österberg, in weiter Ferne die Skyline von Waldhäuser-Ost.

Two eras meet—in the sunshine, the building of the "Corps Rhenania" on the Österberg, dating back to 1883, and beyond the skyline of Waldhäuser-Ost.

La rencontre de deux époques : Sous les rayons du soleil, le bâtiment du Corps des Rhénans bâti en 1883 sur l'Österberg et, au loin, la silhouette des tours du quartier de Waldhäuser-Ost.

Im Kuppelbau der Sternwarte kann man noch immer
durch alte Fernrohre schauen, das daran anschließende
Institut wird heute gastronomisch genutzt.

In the cupola of the observatory, you can still look through
the old telescopes, whilst the institute next door
is now used, not for astronomy, but for gastronomy!

Dans la coupole de l'observatoire il est encore possible
de jeter un coup d'œil dans d'anciens télescopes. L'institut
annexe est utilisé aujourd'hui à des fins gastronomiques.

Die Kunsthalle auf der »Wanne« wurde durch ihre ambitionierten Ausstellungen zu den französischen Impressionisten weit über das Land hinaus bekannt.

The Art Gallery on the “Wanne” has gained a reputation stretching beyond the state borders on account of its ambitious exhibitions of the French Impressionists.

La renommée de la salle de la Kunsthalle au quartier « Wanne » a dépassé les frontières nationales depuis ses expositions ambitieuses d’œuvres des impressionnistes français.

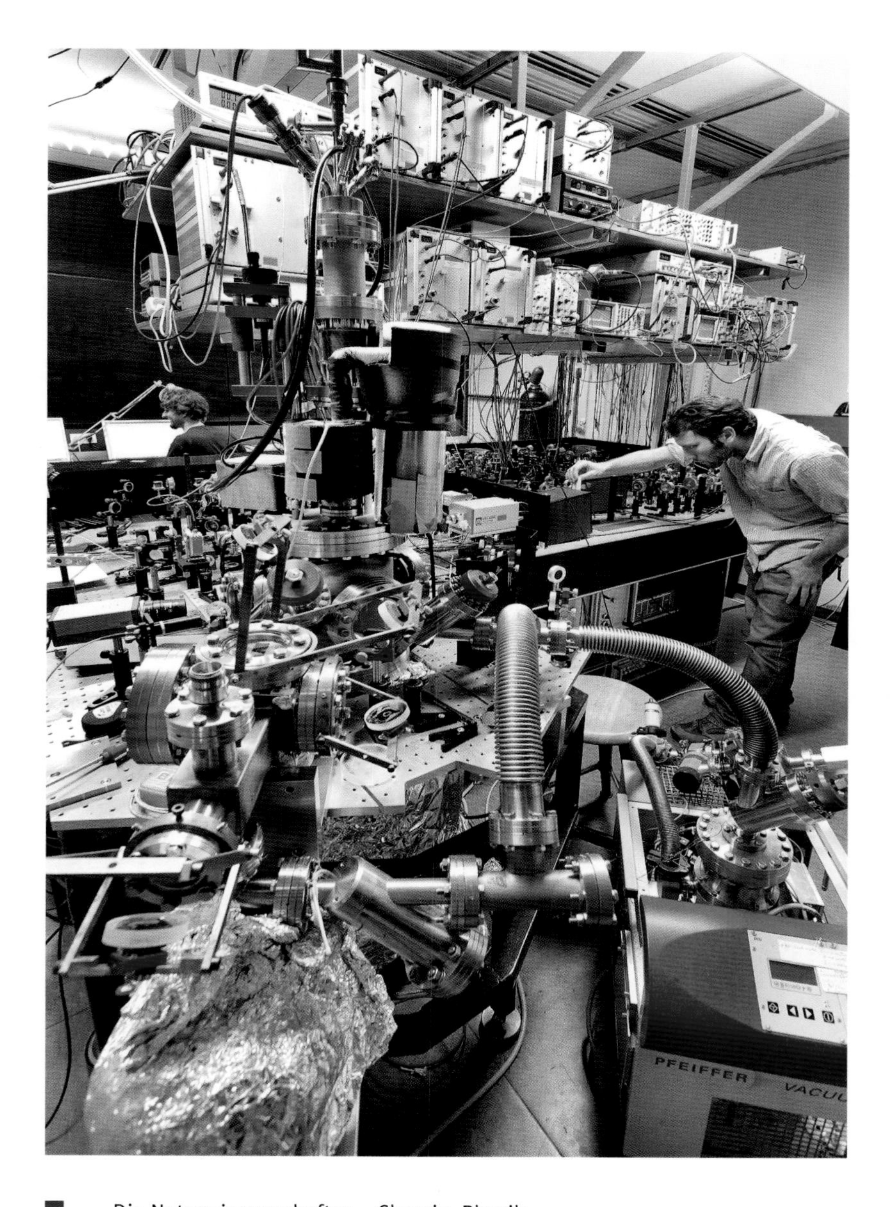


Die Naturwissenschaften – Chemie, Physik, Mathematik, Pharmazie und Biologie – bestimmen das wissenschaftliche Leben »Auf der Morgenstelle«.

The natural sciences—chemistry, physics, maths, pharmacy and biology—determine the scientific life "Auf der Morgenstelle".

Les sciences naturelles – la chimie, la physique, les mathématiques, la pharmacie et la biologie – déterminent la vie scientifique de la « Morgenstelle ».

Als neuer Universitätsbereich wurde die »Morgenstelle« 1975 komplettiert durch den Bau der Mensa II bei den naturwissenschaftlichen Instituten.

As a new area of the university, the "Morgenstelle" was completed in 1975 by the construction of Canteen II next to the institutes of natural science.

En tant que nouvelle zone universitaire, la « Morgenstelle » a été complétée en 1975 par la construction d'une deuxième cantine près des instituts de sciences naturelles.

Im neuen Botanischen Garten »Auf der Morgenstelle« kann man etwa 12 000 verschiedene Pflanzenarten aus allen Lebensräumen der Erde bestaunen.

In the new botanical garden "Auf der Morgenstelle", you can marvel at around 12,000 different types of plants from all over the world.

Dans le nouveau jardin botanique de la « Morgenstelle », il est possible d'admirer près de 12 000 plantes différentes provenant de tous les espaces vitaux de la terre.

Selbstverständlich gehört auch ein Hubschrauberlandeplatz zu den Einrichtungen der Universitätsklinik auf dem Schnarrenberg.

The University Clinic on the Schnarrenberg is naturally equipped with a helipad.

Un héliport fait évidemment partie des équipements de la clinique universitaire du Schnarrenberg.

Das große Klinikum auf dem Schnarrenberg zählt zu den modernsten medizinischen Einrichtungen in Deutschland und in der ganzen Welt.

The large clinic on the Schnarrenberg is one of the most modern medical facilities both in Germany and in the whole world.

La grande clinique du Schnarrenberg compte parmi les installations médicales les plus modernes d'Allemagne et du monde entier.

■ Vom Steinenbergturm hat man einen großartigen Blick über Tübingen, das Neckar- und das Steinlachtal bis zur Schwäbischen Alb und ihren Bergen.

From the Steinenberg Tower, you have a splendid view of Tübingen, the Neckar and Steinlach Valleys right up to the Swabian Jura and its hills.

La vue sur Tübingen est grandiose de la plate-forme de la tour de Steinenberg, elle s'étend des vallées du Neckar et de la Steinlach jusqu'au Jura Souabe et ses collines.

Nur eine Viertelstunde zu Fuß vom Klinikum auf dem Schnarrenberg entfernt, erhebt sich der gut ein Jahrhundert alte, fein konstruierte Aussichtsturm.

Just a quarter of an hour's walk from the clinic on the Schnarrenberg is the delicate lookout tower, built over a hundred years ago.

La légère construction de la tour, âgée de plus de cent ans, se dresse à un quart d'heure à pieds de la clinique du Schnarrenberg.

Ein Tunnel für Fußgänger und Radfahrer unter dem Schlossberg hindurch verbindet das Neckartal mit der Weststadt im Ammertal.

A tunnel for pedestrians and cyclists under the Schlossberg connects the Neckar Valley with the western part of the city centre in the Ammer Valley.

Un tunnel pour piétons et cyclistes percé sous le Schlossberg relie la vallée du Neckar et les quartiers ouest dans la vallée de l'Ammer.

Ein Schulzentrum mit Haupt- und Realschule in einer Rundbauweise setzt in der Weststadt neue städtebauliche Akzente.

A round school complex with secondary modern and comprehensive schools in western Tübingen provides new accents in urban architecture.

Un centre scolaire d'architecture circulaire, comportant une école pré-professionnelle et un collège, procure aux quartiers ouest une nouvelle note d'urbanisme.

Ein weithin sichtbares Wahrzeichen der Weststadt ist die evangelische Stephanuskirche mit ihrem frei stehenden Glockenturm.

A landmark of west Tübingen, visible from a long way away, is the Protestant St. Stephan's church with its free-standing bell tower.

Le temple protestant de Stéphane et son clocher indépendant est un symbole des quartiers ouest que l'on aperçoit de loin.

Auch Autos finden einen Weg vom Neckartal hin zur Weststadt im Ammertal: der große Tunnel durch den Schlossberg.

Cars too can also find a route from the Neckar Valley to the western part of the town in the Ammer Valley using the large tunnel under the Schlossberg.

Les voitures trouvent également leur chemin entre la vallée du Neckar et les quartiers ouest dans la vallée de l'Ammer : Le grand tunnel sous le Schlossberg.

Märkte gibt es nicht nur in der Altstadt, sondern auch auf dem Freizeit- und Festgelände »Weilheimer Wiesen« beim Freibad. Der Flohmarkt findet regelmäßig großen Zuspruch.

There are not just markets in the Old City, but also on the "Weilheimer Wiesen" festival site near the open air swimming pool. The flea market regularly attracts large crowds.

Les marchés n'ont pas lieu uniquement dans la vieille ville mais aussi sur l'aire de loisirs et de festivités des »Weilheimer Wiesen«, près de la piscine en plein air. Le marché aux puces attire régulièrement un grand nombres d'amateurs.

Dieses Neubauquartier in der Rappenberghalde am Neckar erinnert mit seiner Architektur an die »Neue Sachlichkeit« der Stuttgarter Weißenhofsiedlung.

The architecture of the new estate in the Rappenberghalde on the Neckar reminds us of the "New Objectivity" of the Weissenhofsiedlung in Stuttgart.

L'architecture de cette nouvelle cité construite dans la Rappenberghalde rappelle la « Nouvelle Objectivité » de la cité du Weissenhof à Stuttgart.

Beim Basketball mischen die Tübinger »Walter Tigers« ganz vorne mit.

The Tübingen “Walter Tigers” are one of the area’s leading basketball teams.

En basket, l’équipe de Tübingen, les « Walter Tigers », caracole en haut du classement de leur ligue.

An der Kletterwand der Paul-Horn-Arena können die verschiedenen Schwierigkeitsgrade des Bergsteigens erprobt werden.

The climbing wall in the Paul Horn Arena allows people to test the various difficulties in climbing.

Le mur d’escalade du gymnase Paul-Horn invite à pratiquer les différents degrés de difficulté de la grimpe.

Das Freibad erfreut Groß und Klein mit langen Rutschen, ...

The long slides of the outdoor pool are fun for both young and old ...

Petits et grands peuplent joyeusement les larges toboggans de la piscine de plein air ...

... Kinderbecken, Liegeplätzen und vielem mehr.

... along with a children’s pool, sunbathing areas, and much more.

... les bassins pour enfants, les pelouses de bronzage et bien d’autres choses.

Die Tübinger Alleen, zum Teil
schon im frühen 19. Jahrhundert auf
dem Neckarwöhrd angelegt,
sind ein kostbares Kleinod der Stadt.

The avenues of Tübingen, some of
which were planted on the
meadows of Neckar valley in the
19th Century, are a valuable
treasure of the city.

Les Allées de Tübingen, aménagées
sur les berges du Neckar dès
le début du 19ème siècle, sont un joyau
précieux de la ville.

Die Insel teilt den Neckar weit oberhalb der Altstadt. Die Strömung wird hier zur Herausforderung für Stocherkahnfahrer, an der sich der Könner beweist.

The island splits the Neckar well above the Old City. Here, the current becomes a challenge to punters, separating the wheat from the chaff.

Bien en amont de la vieille ville, une île tranche les flots du Neckar. Le courant devient un challenge pour les bateliers des barques à perche qui doivent faire preuve de toute leur adresse.

Das neue Landratsamt ist nicht nur ein Verwaltungszentrum, es bietet auch ein Forum für kulturelle Veranstaltungen aller Art.

The new offices of the District Council are not only a civic centre, they also provide a forum for all kinds of cultural events.

La nouvelle préfecture n'est pas seulement un centre de gestion, elle aussi offre un forum neuf à des manifestations de toutes sortes.

Das neue Behördenzentrum im Bereich der Mühlbachäcker mit dem Kreissparkassen-Carré, dem Landratsamt, dem Polizeihochhaus und dem Regierungspräsidium.

The new administrative headquarters near the Mühlbachäcker, with the Kreissparkassen-Carré, the District Council offices, the Police Tower and the Regional Administration.

Le nouveau Centre Administratif dans la zone des Mühlbachäcker avec l'atrium de la Caisse d'Epargne, la tour de la police et la direction gouvernementale du canton de Tübingen.

■

Industrie und Gewerbe in Tübingen haben oft direkt oder indirekt mit der Universität zu tun. Bei Gulde-Druck im Stadtteil Derendingen werden Bücher für Auftraggeber aus ganz Deutschland hergestellt.

In Tübingen, industry and commerce often have a direct or indirect connection to the university. At Gulde-Druck in the suburb of Derendingen, books are printed for clients throughout Germany.

L'industrie, le commerce et l'artisanat de Tübingen sont souvent impliqués directement ou indirectement dans l'université. L'imprimerie Gulde du faubourg de Derendingen imprime des ouvrages destinés à des clients parsemés dans toute l'Allemagne.

■

Die Firma Erbe fertigt mit mehr als 500 Mitarbeitern Geräte der Elektromedizin und vertreibt sie weltweit.

Erbe, with its 500 employees, creates electromedical units and markets them throughout the world.

Avec un effectif de plus de 500 personnes, la société Erbe fabrique des appareils électroniques à l'usage de la médecine qu'elle distribue à l'échelle mondiale.

Seit dem ausgehenden Mittelalter genießt Tübingen einen hervorragenden Ruf als Medienstandort. Im Silberburg-Verlag entstehen Werke zu baden-württembergischen Themen.

Since the late Middle Ages, Tübingen has enjoyed a fine reputation as a home to media. The Silberburg-Verlag creates works on topics connected with Baden-Württemberg.

Depuis la fin du moyen-âge, Tübingen possède une renommée excellente en matière de média. La maison d'édition Silberburg réalise des ouvrages traitant des thèmes du Bade-Wurtemberg.

Fast wie ein Schloss wirkt der 1876 fertiggestellte Kasernenbau, der 1937 den Namen Thiepval erhielt und heute zivilen Einrichtungen dient.

Almost like a castle—the barracks, completed in 1876, was given the name Thiepval in 1937 and, today, is home to some of the city authorities.

Cette caserne construite en 1876 a presque l'aspect d'un château. En 1937 elle reçut le nom de Thiepval. Elle abrite aujourd'hui des organismes civils.

Die in geordnete Bahnen gelenkte, weitgehend gezähmte Steinlach wird bis kurz vor ihrer Mündung in den Neckar von mächtigen Bäumen flankiert.

The Steinlach runs in orderly channels and has been well tamed. It is flanked by mighty trees just before it enters the Neckar.

La fougue de la Steinlach a été canalisée. Pratiquement apprivoisée, elle est encadrée d'arbres imposants jusqu'à son confluent avec le Neckar.

Das alternative Kulturzentrum »Sudhaus« im Süden der Stadt hat sich mit seinem reichhaltigen Kulturprogramm zu einem Publikumsmagneten entwickelt.

The alternative cultural centre "Sudhaus" in the southern part of the town has developed into a popular attraction, thanks to its wide-ranging programme of cultural events.

Le riche programme culturel du centre de culture alternative « Sudhaus », au sud de la ville, attire un large public.

Alternative Lebens- und Wohnformen suchen und erproben die Bewohner der »Wagenburg« oberhalb des Französischen Viertels.

Alternative ways of living are sought and tried by the inhabitants of the “Wagenburg” (corral) above the French Quarter.

Les habitants du « Wagenburg » (cercle de chariots), installé au-dessus du Quartier Français cherchent et expérimentent des formes alternatives de vie et d’habitat.

Mit großen Netzen werden die Obstplantagen auf dem Bläsiberg vor Hagel geschützt.

On the Bläsiberg, large nets protect the fruit orchards against hail.

De grands filets protègent de la grêle les plantations fruitières sur le Bläsiberg.

Im Zweiten Weltkrieg als Soldatenfriedhof im Wald geschaffen, dient der Bergfriedhof seit 1950 als allgemeiner Begräbnisplatz, als letzte Ruhestätte.

The Bergfriedhof, created during the Second World War as a military cemetery in the forest, has been open to the general public as a last resting place since 1950.

Le Bergfriedhof était un cimetière militaire aménagé dans la forêt pendant la deuxième guerre mondiale. Depuis 1950, il sert de cimetière communal et de lieu du dernier repos.

Hier findet man Gräber vieler berühmter Männer und Frauen. Das Reh symbolisiert den Beruf des verstorbenen Zoologen Theodor Eimer.

Graves of many famous men and women can be found here. The deer symbolises the career of the zoologist, Theodor Eimer.

On y trouve les sépultures de nombreuses célébrités. Le chevreuil symbolise la profession du zoologue Theodor Eimer qui repose à cet endroit.

Überraschende Blicke auf die Stadt Tübingen, die Wälder des Schönbuchs oder in das Neckartal eröffnen sich dem Besucher des Bergfriedhofs.

Visitors to the Bergfriedhof can enjoy unexpected views of the city of Tübingen, the forests of the Schönbuch or into the Neckar Valley.

Des panoramas surprenants de la ville de Tübingen, des forêts du Schönbuch ou de la vallée du Neckar s'offrent aux visiteurs du cimetière du Bergfriedhof.

Auf dem Gelände der Hindenburg-Kaserne, bis 1991 von französischen Truppen benutzt, entstand im letzten Jahrzehnt das Französische Viertel, ein neues Stadtquartier von höchster urbaner Qualität.

Over the last decade, the site of the Hindenburg Barracks, used until 1991 by French troops, has developed into the French Quarter, a new district offering an extremely high quality of city life.

C'est sur les terrains de la caserne Hindenburg, utilisée jusqu'en 1991 par les troupes françaises, que le Quartier Français a été construit au cours de la dernière décennie. C'est un nouveau quartier de qualité urbaine exceptionnelle.

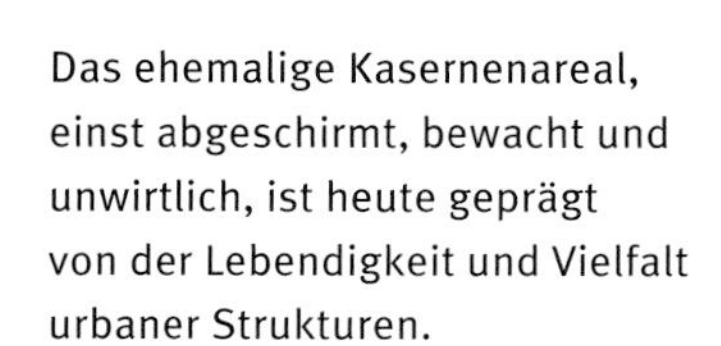

Das ehemalige Kasernenareal, einst abgeschirmt, bewacht und unwirtlich, ist heute geprägt von der Lebendigkeit und Vielfalt urbaner Strukturen.

Today, the former barracks, once shut off, monitored and unwelcoming, is typified by the liveliness and mixture of city structures.

L'ancienne zone de la caserne, autrefois isolée, surveillée et inhospitalière est aujourd'hui empreinte de la vie et de la diversité des structures urbaines.

Im Französischen Viertel gelten die Straßen und Plätze in erster Linie als Aufenthaltsräume für Menschen und erst in zweiter Linie als Verkehrsträger.

In the French Quarter the streets and squares are intended primarily as places for people to meet each other, and only then as a route for traffic.

Les rues et places du Quartier Français sont réservées en premier lieu au séjour des habitants et servent en second lieu à la circulation des véhicules.

Planerische Grundsätze veränderten Plätze, die ursprünglich militärischem Zeremoniell unterworfen waren, zu öffentlichen Begegnungsräumen besonders für Kinder.

Basic planning principles changed areas previously used for military ceremonies into public open spaces, particularly for children.

Les règles appliquées au planning ont transformé des lieux, soumis à l'origine au cérémoniel militaire, en des places publiques de rencontre, tout particulièrement à l'attention des enfants.

Auch das Loretto-Areal, das zweite ehemalige Kasernengebiet der Südstadt, hat inzwischen in verdichteter Bauweise einen innerstädtischen Charakter erhalten.

The Loretto District, the second former barracks in the southern part of the city, has also been given an city atmosphere thanks to denser planning.

La zone de Loretto, la deuxième ancienne caserne du sud de la ville, a, par densification de son habitat, pris des allures de centre-ville.

Wie das Französische Viertel vereint auch das Loretto-Gelände alle Funktionen des urbanen Lebens: Wohnen, Arbeiten, Einkaufen und Freizeit.

The Loretto District, like the French Quarter, also combines all the functions of city life : living, working, shopping and leisure.

Comme le Quartier Français, la zone de Loretto réunit toute les fonctionnalités de la vie urbaine : Habitat, travail, achats et loisirs.

Mit Gesang und Instrumentalmusik, mit Lyrik und Prosa vermittelt die bekannte Tübinger Klezmer-Gruppe »Jontef« jiddisches Lebensgefühl in all seinen Schattierungen.

With songs and instrumental music, poetry and prose, the well-known Tübingen klezmer group "Jontef" presents many different aspects of Yiddish life.

Par ses chants et sa musique instrumentale, ses textes lyriques et sa prose, le groupe klezmer «Jontef» de Tübingen rend palpable toutes les facettes de l'âme judéo-allemande.

Beim »Theatersport« schlägt die hohe Kunst der schnellen Improvisation gewissermaßen auf Zuruf den Zuschauer in Bann.

“Theatre sport” allows audiences to experience the art of improvisation at first hand.

Lors du « Sport Théâtral » le grand art de l’improvisation rapide interpelle les spectateurs et les fascine.

Das Landestheater Tübingen (LTT) versorgt als Landesbühne die ganze Region mit einem bunten und ambitionierten Theaterprogramm.

As the main regional theatre, the Landestheater Tübingen (LTT) offers a lively and ambitious drama programme to the whole region.

Le Théâtre du Land de Tübingen (LTT) propose à toute la région un large programme théâtral très varié et ambitieux.

Langsam wandelt auch die eher unwirtliche, vielbefahrene Einfallstraße von Stuttgart her ihr Gesicht.

The rather unattractive and busy main road from Stuttgart is slowly changing its appearance.

L'artère principale vers Stuttgart, très chargée et plutôt inhospitalière, change lentement d'aspect.

Einförmige Bauweisen im Depot-Gelände bei der Reutlinger Straße erhalten farbige Akzente und verändern damit ihren Charakter.

Monotonous buildings by the depot in the Reutlinger Straße have received coloured accents, completely changing their character.

L'architecture monotone du Dépot près de Reutlinger Straße prend de la couleur et transforme ainsi son caractère.

Ein Flugzeugblick im Gewitter
von Nordosten neckaraufwärts
über die Siedlung auf dem
Herrlesberg, über Lustnau und
den Österberg.

An aerial view from the north-
east looking down the River Neckar
during a storm, looking over the
estate on the Herrlesberg, Lustnau
and the Österberg.

A vol d'oiseau : Ambiance orageuse
sur le Neckar du Nord-Est,
vue sur la cité du Herrlesberg, Lustnau
et l'Österberg.

Seit 1971 gehört Pfrondorf zu Tübingen. Einen besonderen, weithin sichtbaren Akzent im Dorfbild setzt der von einem flachen Zeltdach bekrönte Kirchturm.

Pfrondorf has been part of Tübingen since 1971. A particularly visible feature in the appearance of the village is the church tower, which has a flat tented roof.

Pfrondorf a été rattachée à Tübingen en 1971. Le clocher surmonté de son toit à faibles pentes donne à la physionomie du village une touche particulière qui se voit de loin.

Der Herrlesberg, auch Stäudach genannt, dehnt sich als Neubaugebiet oberhalb Lustnaus in Richtung Pfrondorf aus.

The Herrlesberg, also called Stäudach, is a new development above Lustnau stretching towards Pfrondorf.

Le Herrlesberg, appelé également Stäudach, est une nouvelle cité qui s'étend au-dessus de Lustnau en direction de Pfrondorf.

Ein Blick auf den Ortskern von Lustnau. Das einst dem Kloster Bebenhausen gehörende stattliche Dorf wurde 1934 nach Tübingen eingemeindet.

A view of the centre of Lustnau. The stately village, which once belonged to the monastery of Bebenhausen, became part of Tübingen in 1934.

Vue du centre de Lustnau. Cette bourgade de belle prestance appartenait autrefois au monastère de Bebenhausen et a été rattachée à Tübingen en 1934.

Im 19. Jahrhundert baute das württembergische Königshaus Teile des Klosters Bebenhausen zum Schloss um und stattete sie im Stil des Historismus aus.

In the 19th Century, the royal house of Württemberg altered parts of Bebenhausen Monastery into a palace in the Historicism style.

Au cours du 19ème siècle, la maison royale de Wurtemberg transforma le monastère de Bebenhausen en un château, y ajoutant des éléments de style pseudo-historique.

1915 wurde im Schloss eine große, moderne Küchenanlage geschaffen, die im Original bis heute erhalten ist.

A new, modern kitchen was created in the palace in 1915 and is still maintained today as it was then.

En 1915 le château fut équipé d'une grande cuisine moderne, conservée jusque de nos jours dans son état d'origine.

Das ehemalige Kloster Bebenhausen gilt wegen seiner reizvollen landschaftlichen Lage und seiner eindrucksvollen Gestaltung als eines der schönsten Zisterzienserklöster.

The former monastery of Bebenhausen is considered as one of the most attractive Cistercian monasteries, on account of its attractive rural setting and its impressive design.

De par sa situation attrayante dans le paysage et ses formes impressionnantes l'ancien monastère de Bebenhausen est un des plus beaux monastères cisterciens.

Wohl geborgen und geschützt hinter mächtigen Mauern liegt der mittelalterliche Kernbereich des Klosters mit der Klausur, dem Kreuzgang und der Kirche.

Well hidden and protected behind massive walls is the medieval core of the monastery with the enclosure, cloisters and the church.

Le cœur moyenâgeux du monastère, la clôture, le cloître et l'église se cachent derrière de puissantes murailles protectrices.

Das Wahrzeichen des Klosters, der berühmte, filigrane Glockenturm über der Vierung der Kirche, ist eine glanzvolle Meisterleistung der Hochgotik.

The symbol of the monastery, the famous filigree bell tower above the crossing of the church, is a wonderful High Gothic masterpiece.

Le symbole du monastère, le célèbre campanile filigrane qui surmonte le quadrilatère de l'église, est un splendide chef d'œuvre de l'art gothique classique.

Der über ein hervorragend ausgebautes Wegenetz gut erschlossene »Naturpark Schönbuch« zählt zu den größten Waldgebieten in Baden-Württemberg.

The "Schönbuch National Park", which possesses an excellent network of paths, is one of the largest forested areas in Baden-Württemberg.

Le Parc Naturel de Schönbuch, de bonne accessibilité, dispose d'un réseau de sentiers parfaitement aménagé et compte parmi les plus vastes surfaces forestières du Bade-Wurtemberg.

Für Schwarz- und Rotwild wurden im Schönbuch vom Besucher einsehbare Wildgehege, aber auch absolute Wildruhezonen geschaffen.

Parks were created in the Schönbuch for visitors to see wild boar and deer, but there are also areas of absolute peace.

Le parc de Schönbuch dispose d'enclos forestiers qui abritent des sangliers, des cerfs et des chevreuils que le public peut observer. D'autres zones garantissent au gibier un calme absolu.

Das alte Hofgut Schwärzloch mit einer profanierten romanischen Kirche ist ein beliebtes Ausflugslokal mit weitem Blick über das Ammertal.

The old hamlet of Schwärzloch, with a profane Romanesque church, is a popular excursion destination with a superb view over the Ammer Valley.

L'ancienne métairie de Schwärzloch et son église romane sécularisée est devenue une auberge en vogue qui offre un joli panorama sur la vallée de l'Ammer.

Das am Rand des Schönbuchs in reizvoller Lage angesiedelte Dorf Hagelloch, seit 1971 eingemeindet, ist seit alters von Obstbaumwiesen umgeben.

On the edge of the Schönbuch, in an attractive location, is the village of Hagelloch, which has been part of Tübingen since 1971, and has been surrounded by orchards since time immemorial.

Le village de Hagelloch qui s'étend de façon plaisante au bord du Parc de Schönbuch, rattaché en 1971, est entouré de prés-vergers depuis des temps ancestraux.

Der Ammerhof, unweit der Wurmlinger Kapelle mitten im freien Feld gelegen, gehörte bis 1803 dem Kloster Obermarchtal.

Ammerhof, not far from Wurmlingen Chapel, and in the middle of open fields, belonged to the monastery of Obermarchtal until 1803.

La ferme Ammer, proche de la chapelle de Wurmlingen et située au milieu des champs, appartenait au monastère d'Obermarchtal jusqu'en 1803.

■

Welcher Dichter besingt die Wurmlinger Kapelle besser – Ludwig Uhland (»Droben stehet die Kapelle, schauet still ins Tal hinab«) oder Nikolaus Lenau (»Luftig wie ein leichter Kahn schwebt sie lächelnd himmelan«)?

Which poet knows Wurmlingen Chapel better—Ludwig Uhland ("Up there is the chapel, looking silently down into the valley") or Nikolaus Lenau ("Full of air, like a light boat, it floats happily towards the sky")?

Quel poète connaît le mieux la chapelle de Wurmlingen – Ludwig Uhland (« La chapelle se dresse tout là-haut et regarde silencieusement vers la vallée ») ou bien Nikolaus Lenau (« légère comme une barque, elle s'élève vers le ciel en souriant ») ?

Ein beeindruckendes Ambiente bietet der Platz hinter der Kirche im Stadtteil Unterjesingen mit einem großartigen Dorfmuseum in der Kelter und dem »Zeebhaus«.

The square behind the church in the suburb of Unterjesingen offers an impressive atmosphere, with a superb village museum in the wine press and the “Zeebhaus”.

La place située derrière l’église du Faubourg d’Unterjesingen, son admirable musée local installé dans le pressoir et la « Zeebhaus » exhalent une ambiance impressionnante.

■ Der Weinbau prägte früher das Dorf Unterjesingen. Wer die Arbeit nicht scheut und etwas davon versteht, kann noch immer einen vorzüglichen Tropfen gewinnen.

In the past, it was wine which was the hallmark of the village of Unterjesingen. Anyone not averse to work and with some knowledge, can still try their hand at creating a fine wine.

La viticulture était autrefois l'image de marque du village de Unterjesingen. Ceux que le travail n'effraie pas et qui maîtrisent leur métier peuvent encore élaborer un excellent nectar.

■ Über Unterjesingen liegt in malerischer Aussichtslage die Burg Roseck, einst Verwaltungssitz des Klosters Bebenhausen, heute ein Pflegeheim.

In a picturesque location above Unterjesingen is Burg Roseck, once the administrative centre of the monastery of Bebenhausen, and now a care home.

Le château-fort de Roseck qui domine Unterjesingen de façon pittoresque était autrefois le siège de l'administration du monastère de Bebenhausen. C'est aujourd'hui une maison de retraite et de soins.

Einzigartig ist der Spitzberg, was sein Klima, seine Fauna und Flora sowie seine geologische Formation anbelangt. An seinem Fuß erstreckt sich der Stadtteil Hirschau.

The climate, flora, fauna and geological formation of the Spitzberg are all unique. The suburb of Hirschau is located at its foot.

Le Spitzberg est unique en son genre, que se soit en matière de climat, de faune, de flore ou de formation géologique. Le faubourg d'Hirschau s'étend à son pied.

Die Hirschauer Baggerseen, aus ehemaligen Kiesgruben entstanden, laden zum Baden.

The flooded gravel pits in Hirschau invite one to take a dip.

Les lacs artificiels d'Hirschau, aménagés dans d'anciennes gravières, invitent à la baignade.

Das um 1550 erbaute, stattliche, am Ortsrand gelegene Renaissanceschloss dominiert mit seinen Rundtürmen seit Jahrhunderten das Dorfbild von Bühl.

The round towers of the stately Renaissance palace built around 1550 on the edge of the village have long dominated the appearance of Bühl.

Depuis des siècles, la physionomie du village de Bühl est dominée par les tours rondes de l'imposant château de la Renaissance construit vers 1550.

Der 1968 im Stadtteil Kilchberg bei Bauarbeiten entdeckte Keltengrabhügel mit einer menschenähnlichen Großplastik dürfte gut zweieinhalb Jahrtausende alt sein.

The human-like statue on the Celtic burial mound discovered in 1968 during building works in the suburb of Kilchberg must be at least two and half thousand years old.

Le tumulus funéraire découvert en 1968 à Kilchberg lors de travaux de terrassement et sa statue de forme humaine devraient bien avoir un âge de 2500 ans.

Die Kirche mit den Adelsgräbern und das benachbarte Schloss mit seinem mittelalterlichen Turm sind sichtbare Zeugen der ritterlichen Vergangenheit Kilchbergs.

The church with the tombs of the nobles and the neighbouring castle with its medieval tower are visible testaments to Kilchberg's knightly past.

L'église et ses sépultures nobiliaires, le château voisin et sa tourelle moyenâgeuse sont les témoins visibles du passé chevaleresque de Kilchberg.

Einmalig im Raum nördlich der Alpen ist diese 1985 im Stadtteil Weilheim aufgefundene Stele, die auf das beginnende zweite vorchristliche Jahrtausend datiert werden kann.

The monolith found in 1985 in the suburb of Weilheim is unique in the area north of the Alps, and can be dated back to the beginning of the second century BC.

Cette stèle découverte en 1985 au faubourg de Weilheim est unique au nord des Alpes. Elle date probablement du début du deuxième millénaire avant Jésus-Christ.

Die zwischen 1499 und 1521 erbaute Weilheimer Pfarrkirche präsentiert sich als ein Paradebeispiel harmonischer spätgotischer Kirchenarchitektur.

The parish church in Weilheim, built between 1499 and 1521, is a superb example of harmonious, Late Gothic church architecture.

L'église paroissiale de Weilheim, construite de 1499 à 1521, est un exemple parfait d'harmonie de l'architecture religieuse de l'art gothique flamboyant.

Zu Weilheim gehört das alte, schon um 1100 erstmals genannte Rittergut Kreßbach, das über eine eigene kleine Kirche mit einem zierlichen Türmchen verfügte.

The knight's estate of Kreßbach, first mentioned around 1100, also belongs to Weilheim and had its own small church with a charming little tower.

Le vieux domaine de Kreßbach, mentionné pour la première fois en 1100, dispose de sa propre petite église dotée d'une gracieuse tourelle. Il fait également partie de Weilheim.

Rottenburg
Paul-Schneider-Str.
EVANG. KIRCHENGEMEINDE

Der zu Kreßbach gehörende Eck oder Eckhof erhebt sich noch immer wie eine Rodungsinsel auf dem um 1125 erstmals genannten Berg Egge.

The Eck or Eckhof, which belongs to Kreßbach, still rises like a clearing on the Egge Hill, first mentioned around 1125.

La ferme du Eck ou Eckhof, qui appartient à Kreßbach, se dresse encore comme un îlot de défrichement sur la colline de Egge, mentionnée pour la première fois en 1125.

**Auf dem Einband:** Blick neckarabwärts aufs Schloss, die Neckarhalde und im Hintergrund den Österberg.

**Vorderes Vorsatzpapier:** »Tübingen, mein Land, das ferne leuchtet« (Eduard Mörike) – Aus 4000 Meter Höhe sieht man fast die ganze Stadt. Der Blick geht von Nord nach Süden, im Vordergrund Waldhäuser-Ost, die Wanne und die Morgenstelle.

**Seite 1:** Das Tübinger Wappen zeigt die dreilatzige Fahne der Pfalzgrafen von Tübingen, den Stadtgründern. Die beiden darüberliegenden Hirschstangen erinnern an die spätere Zugehörigkeit zu Württemberg.

**Seite 2:** Vom Flugzeug über dem Österberg aus blickt man auf die Oberstadt mit dem Bebenhäuser Pfleghof, mit Stiftskirche und Holzmarkt, links der Alten Aula, rechts dem Wilhelmstift, mit dem Marktplatz, dem reich verzierten Rathaus, schließlich dem Schloss und dem Schlossberg.

**Seite 4:** Der nächtliche Marktplatz im Rundbild.

**Cover photo :** View down the Neckar to the castle, Neckar slopes and, in the background, the Österberg.

**Front inside cover :** "Tübingen, my country, which shines into the distance" (Eduard Mörike) — From 4,000 metres up, you can see almost the whole city. The view runs from north to south, in the foreground Waldhäuser-Ost, the Wanne and the Morgenstelle.

**Page 1 :** The Tübingen coat of arms shows the three-fly flag of the Counts Palatinate of Tübingen, the founders of the city. The two sets of antlers in the top coat of arms show the allegiance to Württemberg.

**Page 2 :** From an aircraft over the Österberg, one can see the Upper City with the tithe building of the former monastery of Bebenhausen, the Collegiate Church and Wood Market, on the left the Old Hall, to the right the Wilhelmstift, with the Market Square, the richly decorated City Hall, and finally the castle and Schlossberg.

**Page 4 :** A fisheye view of the Market Square at night.

**Couverture :** Vue sur le Neckar vers l'aval, le château et la Neckarhalde, à l'arrière-plan l'Österberg.

**Page de garde avant :** « Tübingen, mon pays qui luit au loin » (Eduard Mörike) – A une altitude de 4000 mètres, on aperçoit presque toute la ville. Le regard va du Nord au Sud, au premier-plan le quartier de Waldhäuser-Ost, la « Wanne » et la « Morgenstelle ».

**Page 1 :** Les armoiries de Tübingen portent le gonfanon des comtes palatins de Tübingen, des fondateurs de la cité. Les deux bois de cerf au sommet de l'écu rappellent l'appartenance au Wurtemberg.

**Page 2 :** En survolant l'Österberg, on aperçoit la Ville Haute avec la base d'accès de l'ancien monastère de Bebenhausen, la Collégiale et le Marché au Bois, l'Ancienne Aula, à gauche, et la Fondation Guillaume, à droite, avec la Place du Marché et l'hôtel de ville aux riches ornements, et finalement le château et le Schlossberg.

**Page 4 :** Vue circulaire nocturne de la Place du Marché.

1. Auflage 2008


Übersetzung ins Englische:
DWT David Whitehead, Backnang.
Übersetzung ins Französische:
Michel Thobois, Backnang.
Auszug aus dem amtlichen Stadtplan und Übersichtskarte (Sonderkarte):
Universitätsstadt Tübingen, Fachabteilung Geoinformation und EDV.
Umschlaggestaltung:
Christoph Wöhler, Tübingen.
Druck: Gulde-Druck, Tübingen.
Printed in Germany.

ISBN 978-3-87407-800-9

TÜBINGEN
AMMERBUCH-ENTRINGEN
Sportplätze
Freibad
SCHLOSS HOHENENTRINGEN
TÜBINGEN-BEBENHAUSEN
KLOSTER
SCHLOSS
Schönbuch
Goldersbach
Arenbach
Bettelbach
Olgahain
Sportanlage Holderfeld
Heuberger Tor
WALDHAUSEN
WALDHÄUSER OST
TÜBINGEN-HAGELLOCH
SCHLOSS ROSECK
Sportplätze
ROSENAU
Botan. Garten
WANNE
Kunsthalle
Nordring
Naturwissenschaftl. Institute
TTR
MPI
SAND
Bebenhäuser Str.
BG-Unfallklinik
Steinenberg
Tropenklinik P.-Lechler-Krankenh.
Uni-Kliniken Berg
Krankenpflegeschule
Stadtfriedhof
Wilhelmstr.
Uni-Sportzentrum
Enzbach
TÜBINGEN-UNTERJESINGEN
Himbach
Jesinger Hauptstr.
Hp.
B 28
Hagellocher Weg
Uni-Kliniken Tal
Alter Bot. Garten
ÖSTERBERG
SWR
Sportanlagen
Rottenburger Str.
Ammer
Herrenberger Straße
Sindelfinger Str.
Westbahnhofstr.
ALTSTADT
Schloß Hohentübingen
Schwärzlocher Str.
SCHWÄRZLOCH
AMMERN (Domäne)
Burgholzweg
Hauptbahnhof
Neckar
Gartenstr.
Europastr.
Hegelstraße
Reutlinger Str.
Eisenbahnstr.
LORETTO
Eugenstraße
Stuttgarter Str.
Sportplatz
Spitzberg
Sportplätze
Freibad
Paul Horn-Arena
Festplatz
LRA
RP
Derendinger Str.
Hechinger Str.
Galgenbergstr.
Bergfriedhof
ROTTENBURG-WURMLINGEN
Steinlach
Schulzentrum
L 371
Wurmlinger Str.
Kingersheimer Str.
TÜBINGEN-HIRSCHAU
TÜBINGEN-DERENDINGEN
Landgraben
Feuerhägle
Sudhaus
Turn u. Festhalle Sportplatz
Weinbergstr.
Kreissporthalle
GARTEN-STADT
STEINLACHWASEN
Baggersee
Pumpwerk
K 6900
Alte Landstr.
L 370
TÜBINGEN-WEILHEIM
BLÄSIBERG
Bühlertalbach
Sportpl.
DRK-Zentrum
NSG Baggersee
Bahnhofstraße
Neckar
NSG
Sportplatz
TÜBINGEN-KILCHBERG
BLÄSIBAD
Kraftwerk
Kläranlage
Baggersee
Eugen-Bolz-Str.
TÜBINGEN-KRESSBACH
Kresbacher Str.
Kläranlage
TÜBINGEN-BÜHL
Sportplätze
Reitanlage
Sportanlagen
Rammert
B 27
Sportplatz
Eckhof
Pulvermühle
K 6902